U0065302

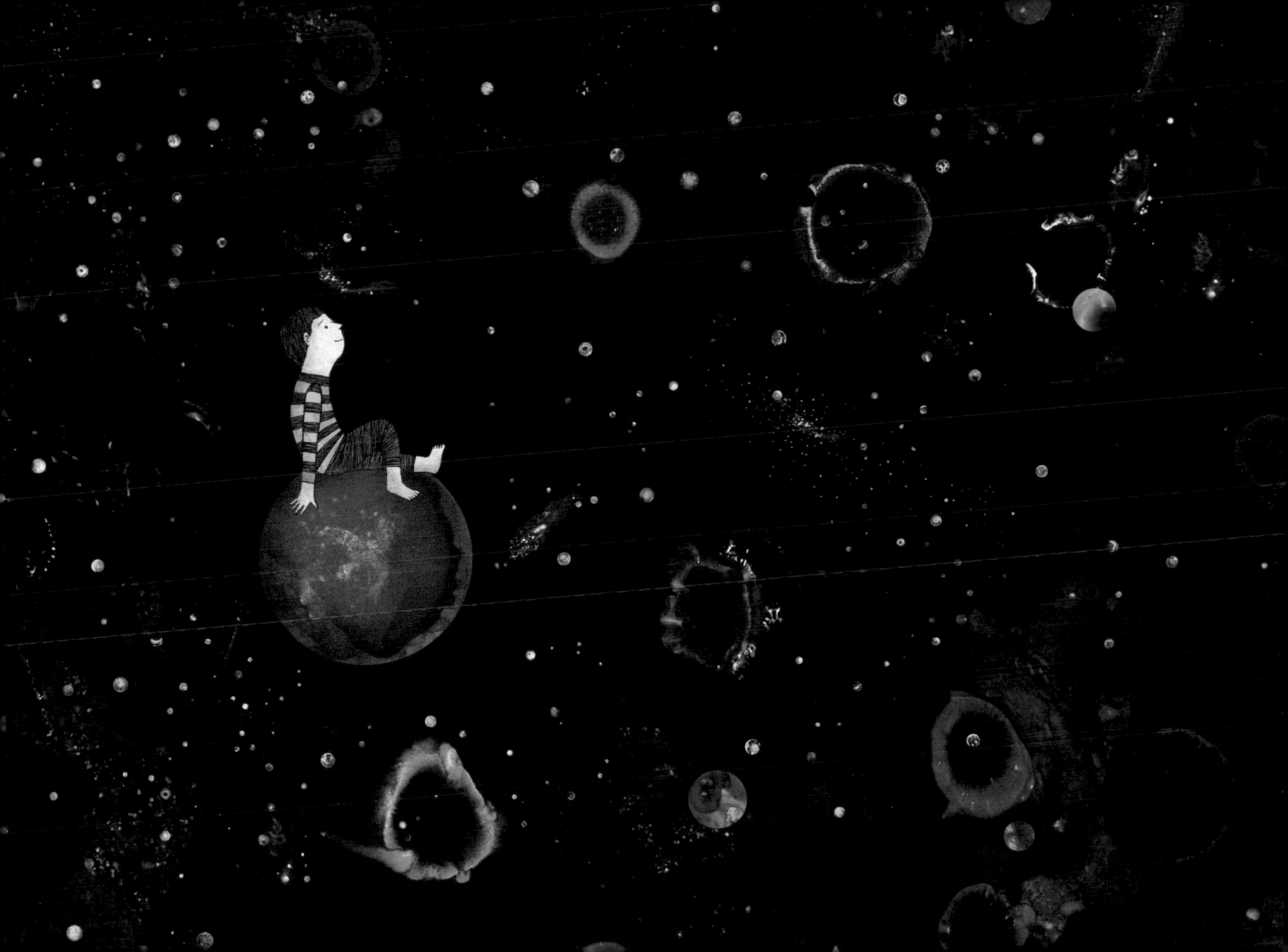

有一天，有位叔叔跑來找我。

我不認識這位叔叔，

也不知道他來自何處。

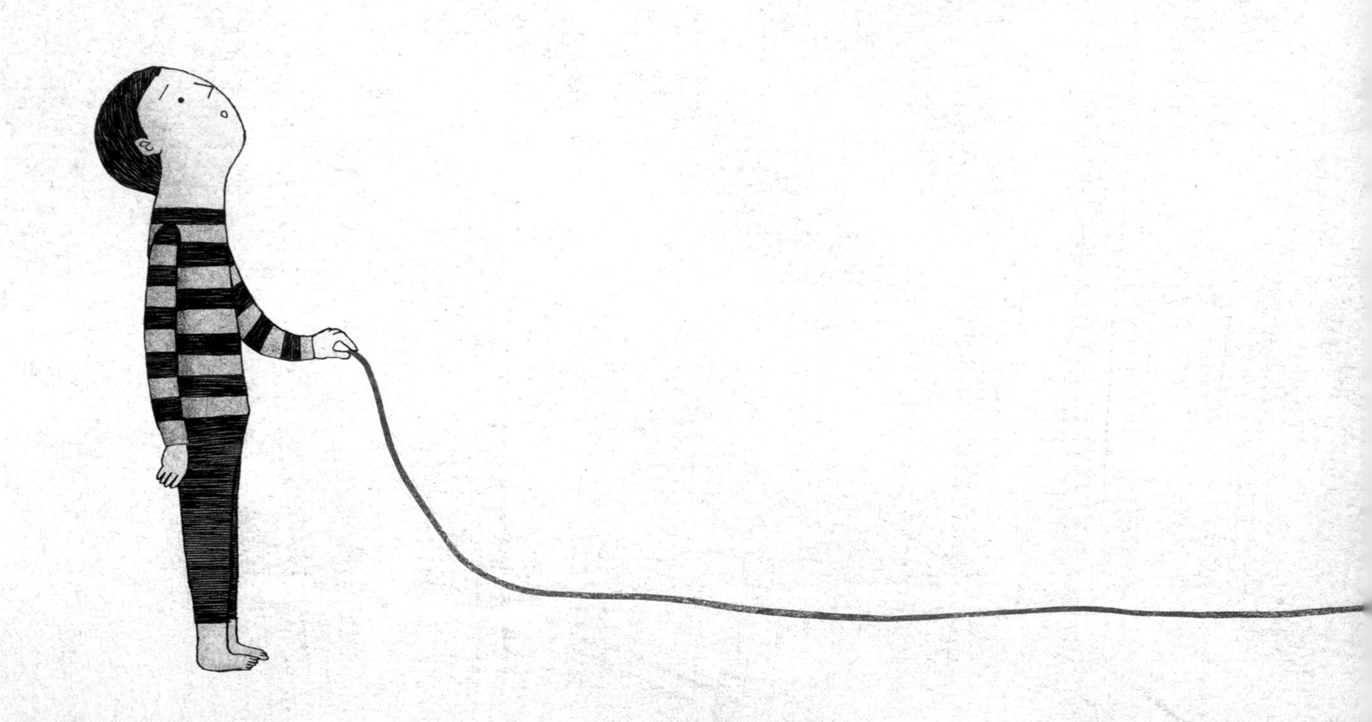

我-Child

2024年5月15日初版第一刷發行

作　　者　趙洙京
譯　　者　簡郁璇
編　　輯　吳欣怡
美術編輯　許麗文
發 行 人　若森稔雄
發 行 所　台灣東販股份有限公司
<地址>台北市南京東路4段130號2F-1
<電話>(02)2577-8878
<傳真>(02)2577-8896
<網址>http://www.tohan.com.tw
郵撥帳號　1405049-4
法律顧問　蕭雄淋律師
總 經 銷　聯合發行股份有限公司
<電話>(02)2917-8022

國家圖書館出版品預行編目(CIP)資料

我-Child/趙洙京著; 簡郁璇譯. -- 初版. -- 臺北市 : 臺灣東販股份有限公司,
2024.5
40面 ;25.2×18公分
ISBN 978-626-379-358-3 (第1冊 : 精裝)
ISBN 978-626-379-360-6 (全套 : 精裝)

862.599　　113004295

Child

圖・文 趙洙京　譯 簡郁璇

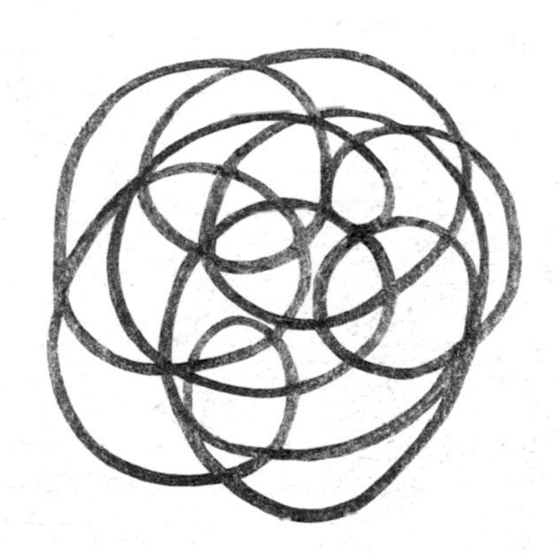

上學的日子忙碌無比，事情多到做不完，

同學們吵吵鬧鬧的，我也忙得暈頭轉向。

ABC
宇宙的奧秘
宇宙的奧秘

我拖著沉重的步伐回家，
卻沒有半個人在家，
只有媽媽留下一張孤零零的便條紙。

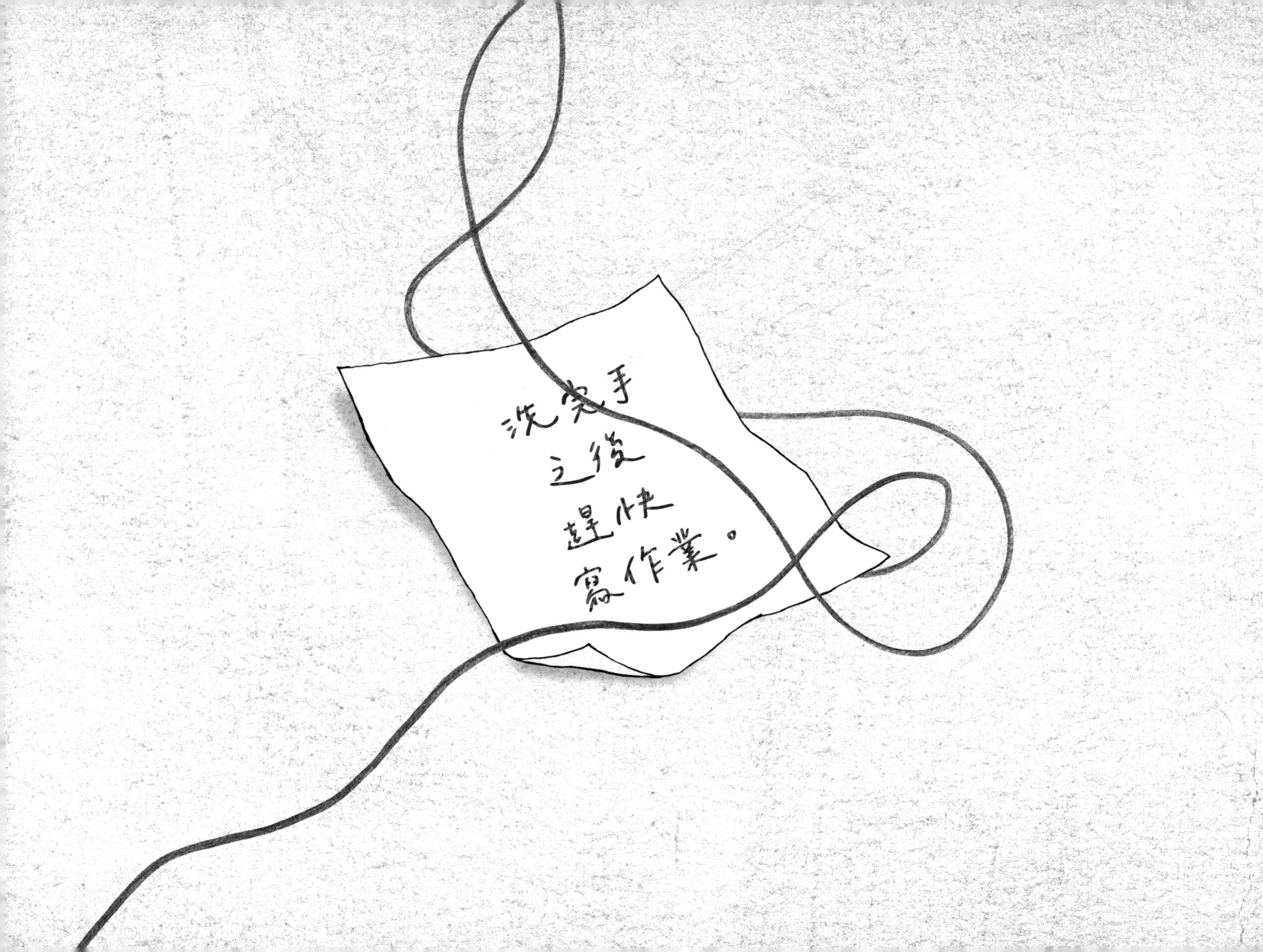
洗完手
之後
趕快
寫作業。

「呼，這累死人的功課什麼時候才做得完？」

我閉緊了雙眼。

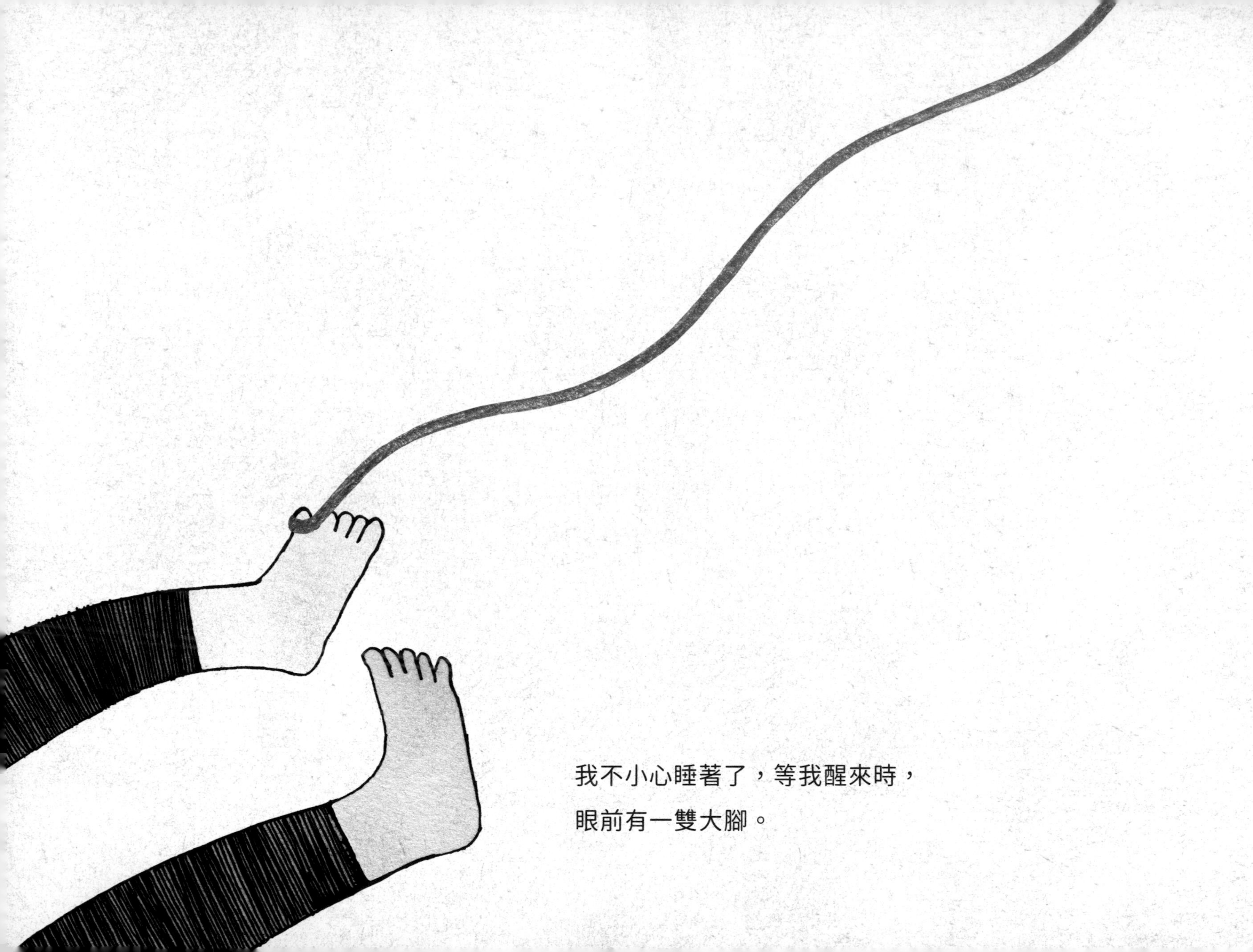

我不小心睡著了，等我醒來時，
眼前有一雙大腳。

「叔叔是誰呀？」

「我是你的未來。

把很多個你累積起來，就會變成我。」

「哈哈，叔叔明明跟我一點都不像。」

神奇的事突然發生了，

我的周圍變成了一座森林。

「哇，原來叔叔是魔法師呀。」

我跟著叔叔走進了森林。

「可以問一件事嗎？我還要讀書讀到什麼時候？」

叔叔輕輕一笑，望著我。

這樣一看，叔叔的眼睛又似乎跟我有點像。

「回答你之前，我們要先去個地方。」

轉眼間，我們已經在海邊。
「記得這片海嗎？」
「嗯，考試會出這題嗎？」
叔叔這次也笑咪咪的，
沒有回答我。

叔叔牽著我的手跳進了大海。
「叔叔，我不會游泳！」

可是，或許是叔叔施了魔法，我並沒有嗆到。

就算不知道大海的名稱，也能盡情在大海之中探險。

我們來到了沙漠中央的綠洲。

哇，是綠洲耶⋯⋯。

要是跟朋友們炫耀，他們一定不會相信吧？

「叔叔，您在看什麼呢？」

「噓，馬上就能看到壯觀的景色了。」

這時，瑰麗的晚霞染紅了天空。

叔叔指著一顆閃閃發亮的藍色星球。

「那個星球就是我們居住的地球。這樣看很迷你吧？」

我心想，我來到了離家好遠、好遠的地方。

爸爸、媽媽、朋友們……原來，我們真的好渺小。

周圍突然暗了下來，耳畔響起了叔叔的嗓音。

「你現在還擔心考試嗎？」

環顧周圍，卻不見叔叔的身影。

我望向窗外，

看到媽媽遠遠地走來，

不自覺地露出笑容。

媽媽也曾經遇見自己的未來嗎？

我知道，

我隨時都能再見到叔叔，

因為叔叔是我的未來。

圖・文 趙洙京

曾於弘益大學主修陶藝，後於英國金斯頓大學取得插畫碩士學位。
喜愛檢視內心蕩漾的各種漣漪，細細思索。
期許自己能自由想像、深度省思，創作出能愉快織夢的繪本。
圖文作品有《心泉》、《我的尾巴》、《熊來了》。